car

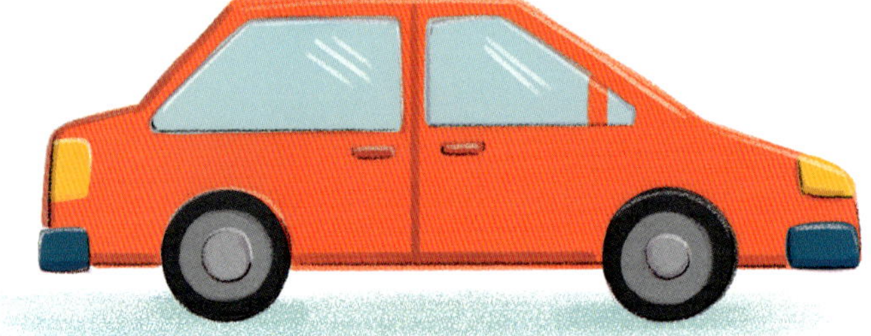

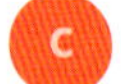
c

ar

queen

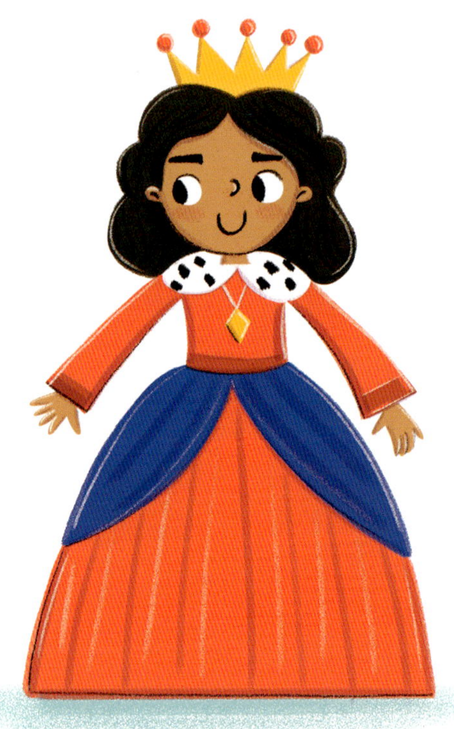

qu

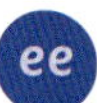
ee

n

cue

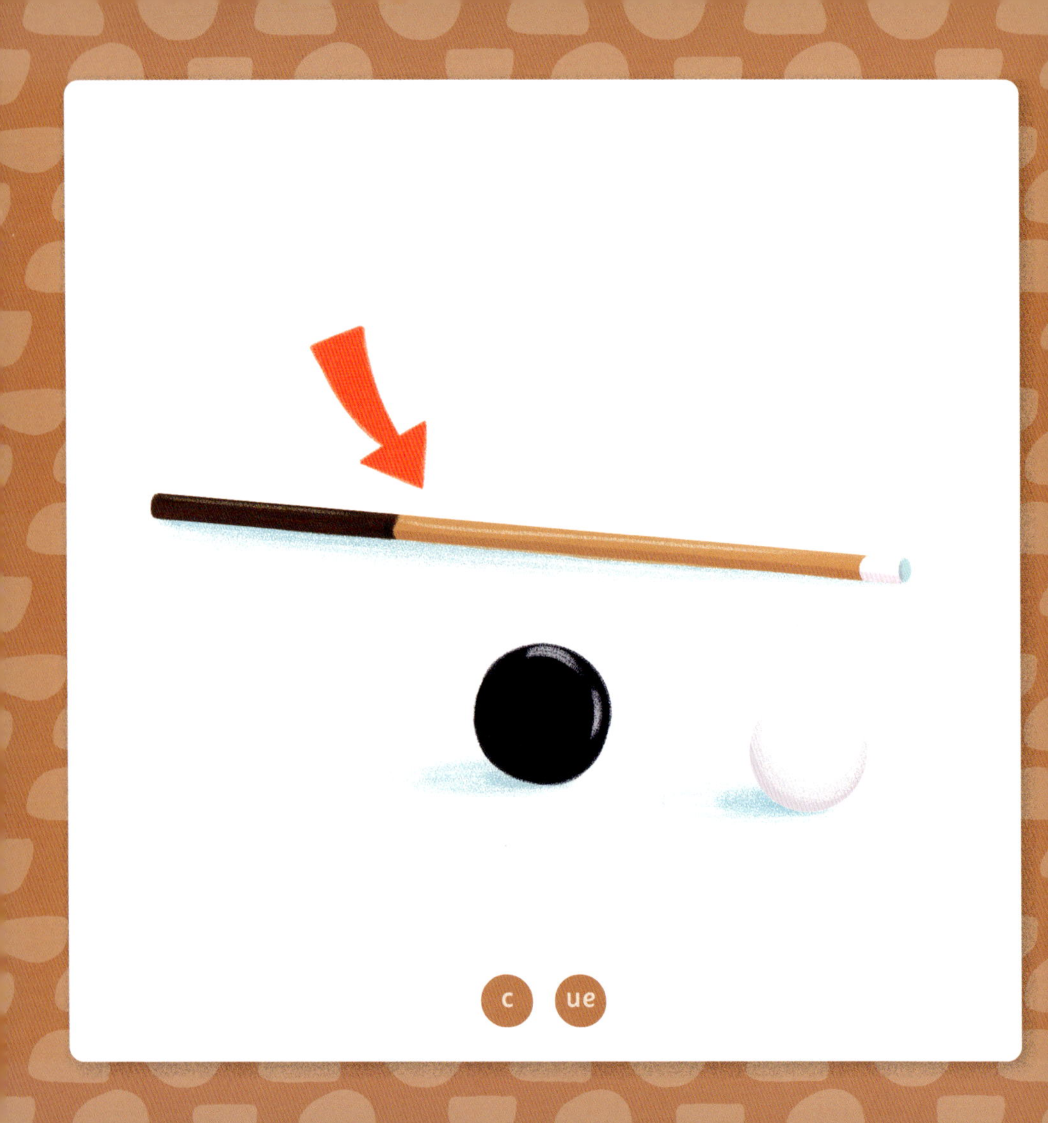
c
ue

mouth

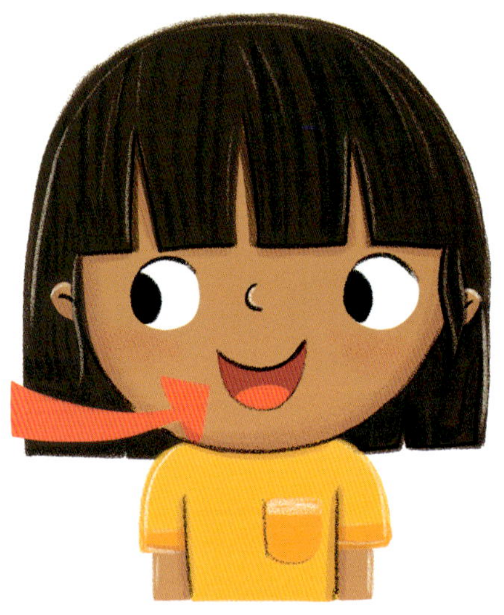

m
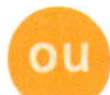
ou

th

statue

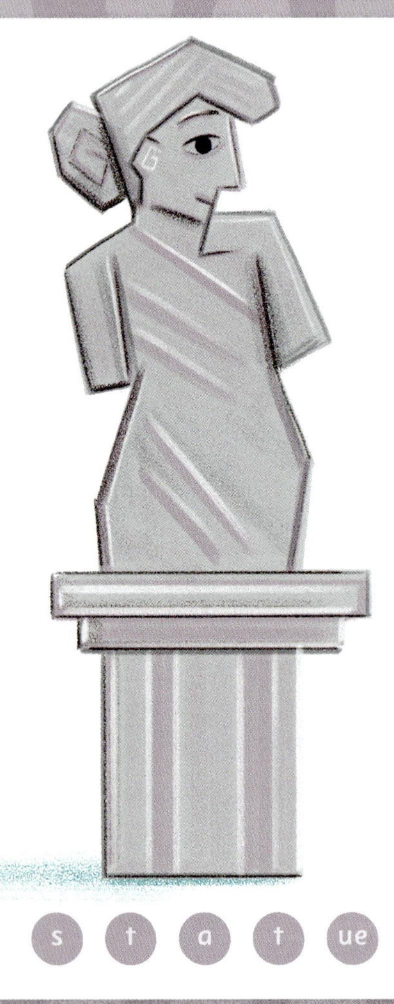
s t a t ue

spout

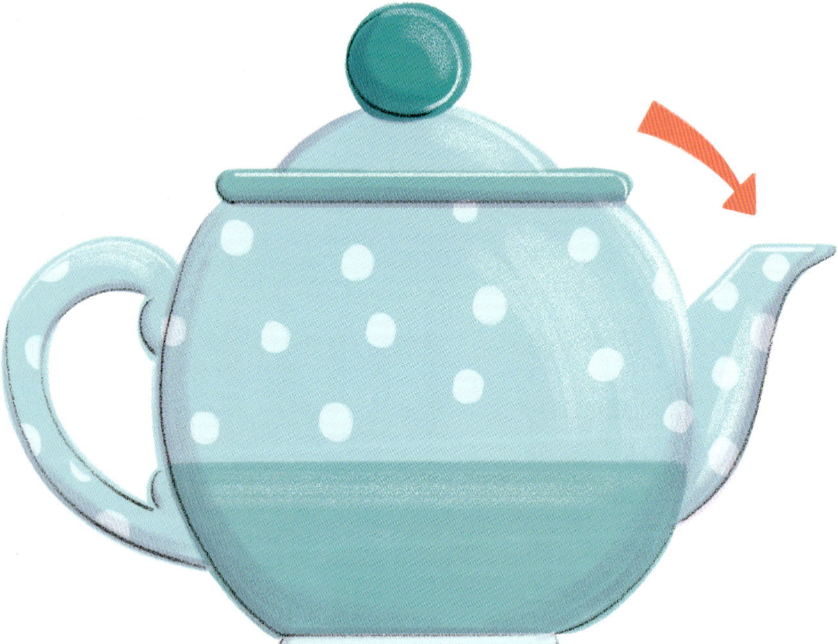

s

p
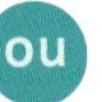
ou

t

monster

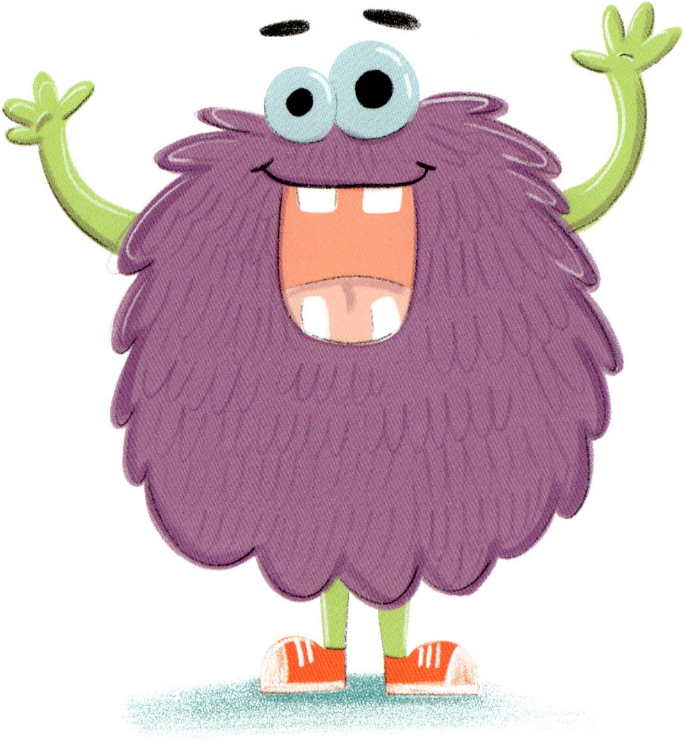

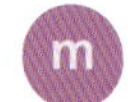
m
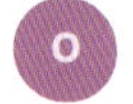
o

n

s
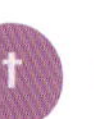
t
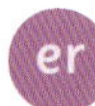
er

toilet

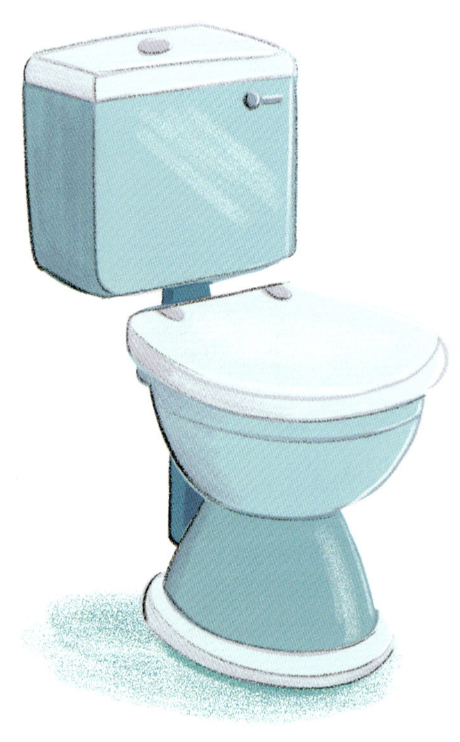

t
oi
l
e
t